GABRIELLE VINCENT

Ernest et Célestine

Noël chez Ernest et Célestine

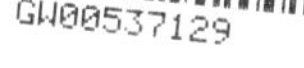

casterman

– Ernest, c'est quand Noël ? – Dans six jours…
– Mais… tu m'avais promis une fête avec tous mes amis !
– On n'a pas de sous… Allez ! Viens !

– Mais Ernest,
il ne faut pas d'argent
pour faire un réveillon !

– Et les cadeaux,
le sapin, les gâteaux,
les disques, les bougies…
et tout… hein !

– Ernest, moi je sais
qu'il ne faut pas d'argent
pour notre fête !

– Il fait trop froid pour
penser au réveillon,
Célestine !

– ...on irait chercher
une grosse bûche
au bois
et aussi un sapin !

Tu jouerais du violon,
on danserait,
on chanterait...
Pour manger ?
...Tu fais

une tarte,
des galettes,
du jus d'orange,
du chocolat
et voilà tout ! ...

Pour les cadeaux,
on ferait des dessins,
des collages,
des découpages...

... des chapeaux,
des étoiles...

... des guirlandes,
des serpentins,
que je peindrais
avec toi...

– … Dis « oui », Ernest, dis « oui » !
– Non ! C'est NON ! Pas cette année !

– Tu me l'avais promis…

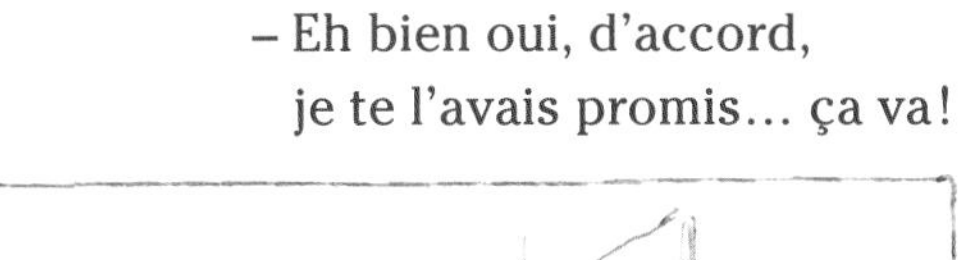

– Eh bien oui, d'accord,
je te l'avais promis… ça va !

– Est-ce que tu l'avais vraiment oublié, Ernest ?

– Tu vois, Ernest, que tu dessines bien, toi aussi !

– Tu viens voir tous mes jolis cadeaux?
– Je fais cuire les gâteaux... j'arrive.
Dis, Célestine, nous devons encore trouver de la vaisselle...

– Là-bas… là-bas, Ernest, je vois des tasses et des assiettes !
– *Et voilà ce qu'il me faut pour mon costume de…*

– Pas mal!

Et sa robe! Hein!

– Écris bien, Célestine :
« Grand réveillon de Noël
chez Ernest et Célestine.
Apportez vos flûtes et vos tambours,
des bougies et des chapeaux.
Venez tous ! »

– C’est ça, ton réveillon ?...

– … et ça, c’est pour toi.

– Tu appelles ça « un sapin de Noël » ?

– Des fausses boules,
des fausses guirlandes,
pas de disques !

– Ne l’écoute pas, Célestine,
pour nous, tout est si beau !

– Ernest, viens voir,
le Père Noël est là !

Ernest ! Ernest ?

Où es-tu, Ernest ?

J'ai perdu mon Ernest !

– Célestine ne reconnaît pas Ernest.
Elle croit vraiment
que c'est le Père Noël !

– Mais, Célestine,
C'est ton Ernest!

– Yahouou !

– Encore plus fort !

– Vas-y, Ernest !

– Continue, Célestine !

– Des histoires, des histoires,
raconte-nous des histoires !

– Il était une fois, dans un lointain pays…

– Ernest, les parents arrivent.

– … Oh ! oui, Ernest,
je ne me suis jamais
aussi bien amusé !

Tu m’en veux encore, Célestine ?
C’était formidable, tu sais !
… Je peux revenir l’année prochaine ?

– Il a dit « l'année prochaine » !
Tu as entendu ?

– On recommencera l'année prochaine ?

– Calmons-nous, Célestine…

« Mon beau sapin…
Roi des forêts…

Casterman
Cantersteen 47, boîte 4
1000 Bruxelles
Belgique

www.casterman.com

ISBN : 978-2-203-12008-2
N° d'édition : L.10EJDN001681.A005

Imprimé en mai 2020, en Espagne par Edelvives (Ctra Madrid km 315,7, 50012 Saragosse).
Dépôt légal : octobre 2016 ; D 2016/0053/368
Déposé au ministère de la Justice, Paris (loi n°49.956 du 16 juillet 1949 sur les publications destinées à la jeunesse).